D1110956

CHIEN BLEU

Première édition dans la collection *lutin poche* : septembre 1989

Loi numéro 49 956 du 16 juillet 1949 sur les publications
destinées à la jeunesse : septembre 1989

Dépôt légal : Juillet 2010
Imprimé en France par Jean-Lamour à Maxéville

ISBN 978-2-211-01912-5

Nadja

CHIEN BLEU

lutin poche de l'école des loisirs
11, rue de Sèvres, Paris 6e

Assise au soleil devant sa maison, Charlotte jouait tranquillement avec sa poupée, quand elle vit un grand chien s'approcher d'elle. Un chien étrange, au pelage bleu, aux yeux verts brillant comme des pierres précieuses.

«Pauvre chien bleu», dit-elle en le caressant, «tu as l'air abandonné.»

Elle partagea avec lui son pain au chocolat.

Le soir même, dans sa petite chambre, Charlotte entendit un grattement à la fenêtre. Le chien bleu était là. Elle sauta dans le jardin pour le rejoindre. Chien Bleu revint tous les soirs. Charlotte bavardait avec lui en le caressant tendrement. Au bout d'un petit moment, il frottait son nez contre sa joue pour lui dire au revoir et se sauvait. Charlotte s'endormait en pensant à lui.

Mais un soir, pendant le bain, sa maman lui dit: «Je ne veux pas que tu joues avec ce chien. On ne sait pas d'où il vient, il est peut-être méchant, ou malade. De toute façon, je ne veux pas de chien à la maison.»

«Mais, Maman, il n'est pas malade, ni méchant! protesta Charlotte. «Je reste juste un tout petit peu avec lui et après je me couche. Je l'aime tellement, on ne peut pas le garder?»

«Pas question», répondit la maman. «J'ai dit non, c'est non.»

Quand Chien Bleu vint à la fenêtre selon son habitude, Charlotte était si triste qu'elle pouvait à peine parler. «Je n'ai plus le droit de te voir», dit-elle d'une voix entrecoupée de sanglots, «Maman ne veut pas.» Chien Bleu la regarda longuement, puis il fit demi-tour et disparut dans la nuit.

La maman de Charlotte, voyant sa petite fille si triste, voulut la distraire de son chagrin. Par une belle journée, elle l'emmena en pique-nique dans les bois. Après le déjeuner, elle lui tendit un petit panier et lui dit:

« Regarde bien le long des chemins et sous les buissons. Je suis sûre que tu trouveras des fraises des bois. Mais ne t'éloigne pas. »

Charlotte s'enfonça dans le bois. Comme elle trouvait de plus en plus de fraises, sans s'en rendre compte, elle s'éloigna de plus en plus de l'endroit où ses parents pique-niquaient.

Quand le panier fut plein, elle voulut retourner sur ses pas. Mais elle se trompa de chemin et alla dans le mauvais sens. Elle appela de toutes ses forces, personne ne répondit. Charlotte se rendit compte qu'elle s'était perdue.

Elle entendit de drôles de craquements tout près d'elle. Elle se mit à courir, mais les bruits se rapprochèrent. Il faisait sombre, elle ne voyait pas les pierres sur le chemin et buta contre l'une d'elles. Elle tomba de tout son long. Terrifiée, elle vit une immense silhouette se précipiter sur elle. Lorsque l'animal fut tout près, Charlotte poussa un cri de surprise: c'était Chien Bleu, qui l'avait suivie à la trace et retrouvée dans la forêt! Elle l'enlaça de toutes ses forces.

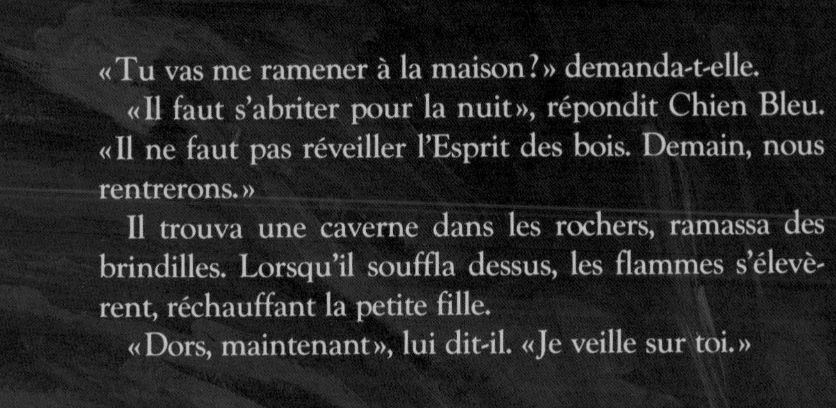

«Tu vas me ramener à la maison?» demanda-t-elle.

«Il faut s'abriter pour la nuit», répondit Chien Bleu. «Il ne faut pas réveiller l'Esprit des bois. Demain, nous rentrerons.»

Il trouva une caverne dans les rochers, ramassa des brindilles. Lorsqu'il souffla dessus, les flammes s'élevèrent, réchauffant la petite fille.

«Dors, maintenant», lui dit-il. «Je veille sur toi.»

Mais, au cœur de la forêt profonde, une odeur inconnue réveilla l'Esprit des bois.

«Qui est entré dans ma forêt sans ma permission?» gronda-t-il.

Transformé en panthère noire, il se glissa silencieusement à travers les herbes. À la lueur du feu, il aperçut Chien Bleu et la petite fille endormie à ses côtés.

«J'en ferais bien mon dîner», se dit-il en avançant dans la lumière.

Les babines retroussées, Chien Bleu se leva en grondant sourdement.

«Misérable chien», s'écria la panthère furieuse. «Tu crois que tu m'empêcheras de me saisir de mon bien? Tout ce qui est dans cette forêt m'appartient!»

Chien Bleu bondit, tous crocs dehors, griffes en avant.

Toute la nuit, ils luttèrent, essayant de se déchirer de leurs énormes crocs, monstres écumants de fureur. La panthère était terriblement forte, Chien Bleu se battait vaillamment, mais ses forces faiblissaient.

Au petit matin, pourtant, Chien Bleu sentit la panthère reculer sous ses coups, éviter la bataille. Elle semblait terrifiée. Sa voix tremblante supplia:
« Tu as gagné, laisse-moi partir... »

C’était le jour qui faisait peur à la panthère. Si le soleil se montrait, elle disparaîtrait en fumée, car l’Esprit des bois n’a le droit d’apparaître que la nuit. Chien Bleu la laissa s’enfuir, il n’avait plus rien à craindre à présent.

Lorsque Charlotte se réveilla, Chien Bleu dormait, épuisé. «Debout, gros paresseux», lui dit-elle joyeusement, «il faut rentrer!»

«Monte sur mon dos», dit Chien Bleu en s'étirant et en bâillant, «nous irons plus vite.»

Chien Bleu galopa à travers champs; il allait si vite que Charlotte avait l'impression de voler.

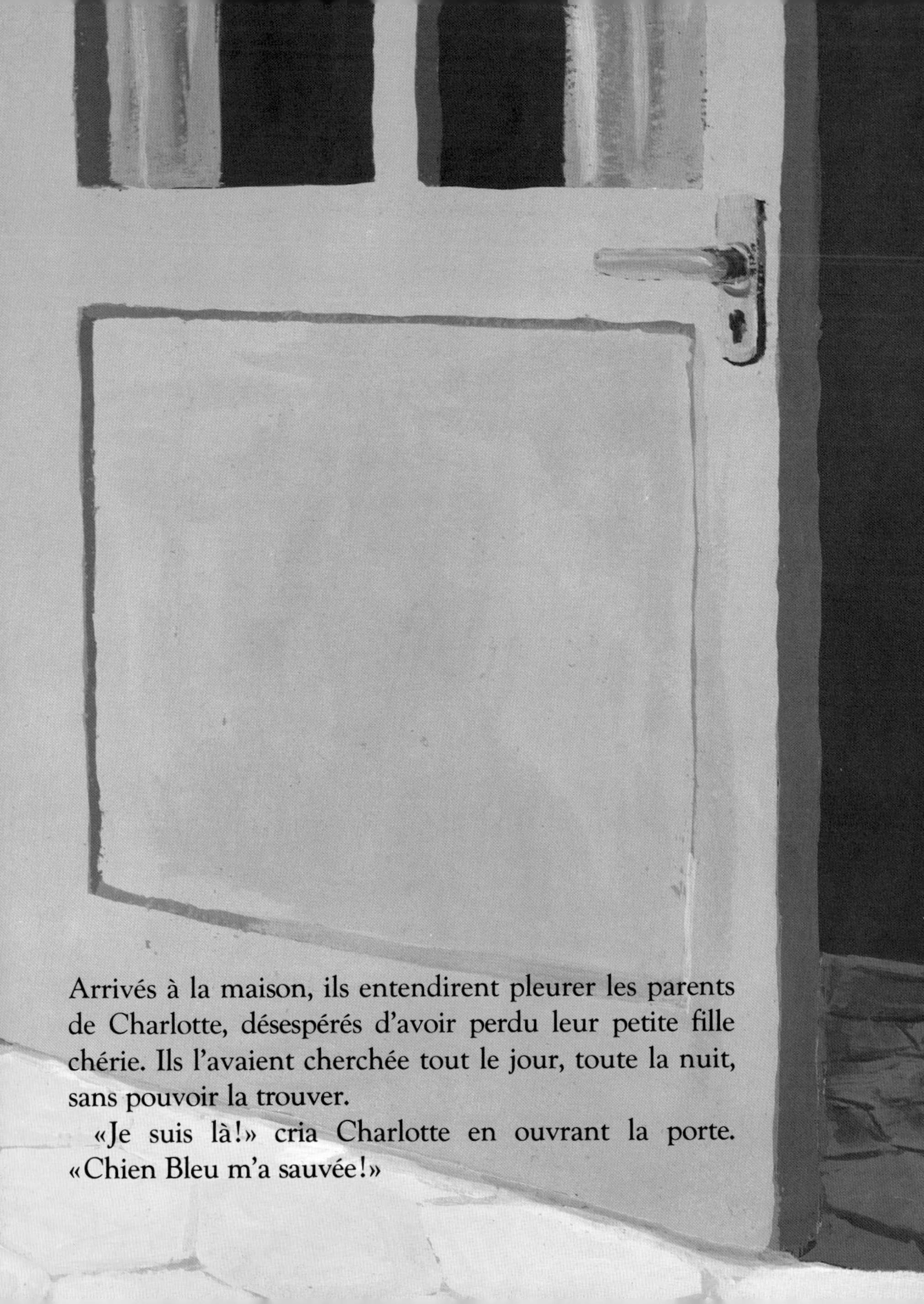

Arrivés à la maison, ils entendirent pleurer les parents de Charlotte, désespérés d'avoir perdu leur petite fille chérie. Ils l'avaient cherchée tout le jour, toute la nuit, sans pouvoir la trouver.

«Je suis là!» cria Charlotte en ouvrant la porte. «Chien Bleu m'a sauvée!»

Plus tard, la maman de Charlotte s'écria, en tenant bien fort sa petite fille dans ses bras:

«Dire que je ne voulais pas que tu gardes ce chien!»

«Comment va-t-on l'appeler?» demanda le papa.

«Il s'appelle Chien Bleu!» dit Charlotte.

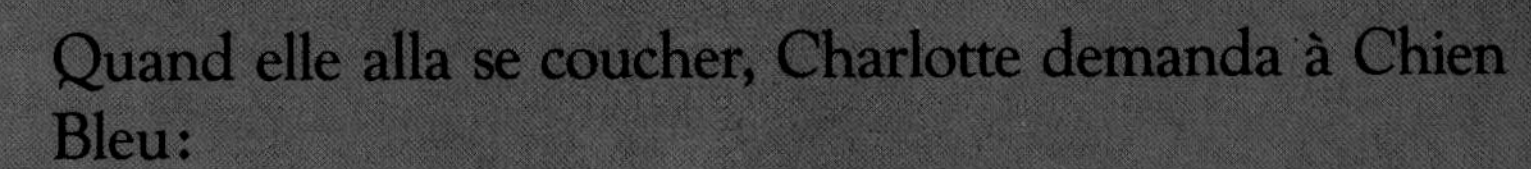

Quand elle alla se coucher, Charlotte demanda à Chien Bleu :

« Veux-tu rester avec moi pour toujours ? »

Chien Bleu s'étendit auprès du lit et posa sa tête près de la tête de la petite fille.

« Dors, petite fille », murmura-t-il, « je resterai toujours auprès de toi. »